GW00385650

COLLECTION POÉSIE

FRANÇOIS CHENG

La vraie gloire
est ici

Édition revue et augmentée

GALLIMARD

PREMIÈRE PARTIE

PAR ICI NOUS PASSONS

La vraie gloire est ici,
Nous passons à côté.
Quelques jades croqués,
Et maints lotus mâchés,
Au travers des ténèbres
Un jour nous périrons !

La vraie voie est ici,
Nous passons à côté.
Mousse ou limon mâché,
Lave ou glace croquée,
Mourant de nostalgie,
Périrons-nous un jour ?

La vraie vie dès ici,
Par ici nous passons.
Nous aurons toujours soif,
Et toujours aurons faim,
Au travers des ténèbres,
Jamais ne périrons.

Ici la gloire ? Oui, c'est ici
Que, damnés, nous avons appris
À nous sauver par le chant – *Aum*
Qui nous conduit au vrai royaume.

Eau du sous-sol pour notre soif,
Nos sangs par la terre absorbés…

Eau contre sang, soif contre soif,
Jaillit le vin – vigne d'oubli.

Vin d'eau, de sang, en quelles noces
D'homme mort et de terre vive ?

Vin d'alliance à nul sacrifice
Sinon à l'ordalie dédié.

Chair aux racines de douleur,
Terre aux craquelures de joie,

Ici sous nos mains réunies :
Voies ouvertes de l'antique ivresse.

À bout de soif,
        une gorgée d'eau…
Toute mort est vie :
        désert-oasis.

À la pierre

Nous ne faisons que passer,
Tu nous apprends la patience,

D'être toujours le témoin
De l'univers à son aube,

D'être l'élan du Souffle même,
Soutien sans faille des vivants,

Toujours présence renouvelante
Entre laves et granits,

N'espérant ni fleur, ni feuille,
Ni fruit de la luxuriance,

Tu tiens le nœud des racines,
Contre tous les ouragans.

À la source du Long Fleuve

Austères glaciers,
Tendre filet d'eau…

Voici que le fleuve retourne à sa source,
Que nous terminons notre grand périple.

Tant de jours à longer le fleuve millénaire,
Toujours à contre-courant, à contretemps,

À sillonner l'aride haut plateau,
Creusé de ravins, menacé de vautours,

À traquer chairs crues et fruits sauvages,
À dormir à même les herbes virginales,

À traverser le lac aux étoiles, poussant plus loin
Nos corps tatoués de gelures, de brûlures,

Minuscule caravane à bout d'endurance,
En ce point de l'ultime rendez-vous,

Austères glaciers, tendre filet d'eau,
Où toute fin est commencement.

Que par le long fleuve on aille à la mer !
    que par le nuage-pluie on retourne à la source !
Toute vague cède à l'appel de l'estuaire,
    et tout saumon à l'attrait du retour.

Viens te lover dans ma main, galet,
Tiens un instant compagnie
À l'anonyme passant. Toi, le pain cuit
Au feu originel, nourris ce passant
De ta force tenace, de ta tendresse
Lisse, au bord de cet océan
Sans borne, où tout vivant se découvre vétille…
Ô tant que se retient la mort, accorde
Au mendiant sans voix tes faveurs,
Fais-moi don de tes inépuisables
Trésors : fêtes de l'aube, festins
Du soir, farandole sans fin des astres,
Tant et tant de tes glorieux compagnons
Réunis ici en toi, un instant lovés
Dans le creux charnel de ma paume !
Toi qui survis à tout, garderas-tu
Mémoire de cette singulière rencontre ?

Rejetée sur la plage,
Conque d'un jour,
Conque toujours.

À l'écoute des remous marins,
À l'écoute des appels humains,
De l'entrecroisement des nuages,
De l'entrechoquement des astres,
Du lointain silence sidéral…

Du brusque cri d'un goéland,
Qui, d'un trait de sang,
Raye l'immaculée magnificence.

D'un arbre

Au plus haut de l'an,
L'air retient son souffle,
Seul se meut un nuage
Sur la frondaison.
Quand le feu s'enfouit,
Quand se tait l'oiseau,
Racines et feuilles
Sont à l'unisson.

Au plus haut de l'an,
L'arbre ailé s'oublie,
Proche est le lointain,
Durable l'instant.
Quand le feu s'enfouit,
Quand se tait l'oiseau,
Tout tend vers son libre
Ou vers son repos.

Le nuage en son erre,
L'an à son plus haut.

Voici que la sève a gravi les degrés
    du haut fût jusqu'à la cime,
Que les branches ont poussé leur effervescence
    jusqu'aux confins du désir,
Vois : même réduite en fumée, la saison
    garde sa flamme incandescente ;
Viens : réponds oui à l'invite à habiter
    corps et âme le lieu vacant.

Dans le souffle éternel, tout instant est gloire
    de la donation totale.

D'où venu ?
Mais déjà, l'appel
Est là, emplissant
Tout l'espace d'écoute.
L'implacable foudre fait
    craqueler le vieil arbre
Muré dans son mutisme
Depuis si longtemps.
Racines gémissantes
    que la lave du fond calcine ;
Feuilles frémissantes
    que le souffle brûlant assèche.
C'est alors que par-delà la mort
Tu te découvres
    centre de la résonance.
Tu entends enfin ton chant
    qui lui-même est appel
À tous les vents venant vers toi,
À tous les vols partant de toi,
À la terre explosée en fleurs,
Au ciel hors temps
    implosé en étoiles.

Arbre foudroyé
    comme tu te lances encore…

Mais à bout d'effroi,
    en pleine course,
        grand cerf qui s'arrête :

Devant
    fulgurant
        espace ouvert ;

Derrière
    assoiffée
        meute hors d'haleine ;

Stupéfiant silence.

Alors lentement jaillit
    d'entre les rameaux fendus

La fontaine de sang.

Soudain, tu es là, me sautant
Aux yeux, au détour d'un sentier.
Tu es là, ardente sur ta hampe,
Fleur rose éclose au nom secret,
Seule au milieu de tout, et tout
L'univers ne paraît plus vain !

Milliards d'années après la lave
Originelle, un jour tu es.
D'où viens-tu ? D'où ce pur désir
De couleur, de parfum, d'un port
Unique et parfait ? Es-tu signe
De ce Tout né un jour du Rien ?

Soudain, tu es là, me prenant
À la gorge, arrachant de moi
Un cri muet de consentement :
Je sais alors que je suis là
Pour la rencontre, que ce cri
Est le oui qu'un rien dit à Tout.

Un iris
        et tout le créé justifié ;
Un regard
        et justifiée toute la vie.

La haute branche de l'acacia
Te suffira pour ta demeure.
Tu t'y poses, te laissant bercer
Par on ne sait quelle liesse.

Pour avoir mordu la poussière,
Tu savoures les tendres feuilles
Que tu picores une à une,
Riches d'on ne sait quel lait.

La haute branche d'acacia
T'est tremplin pour t'envoler.
Tu te livres à corps perdu
À l'appel d'un subit rai.

Que t'importe le coup
du chasseur de cailles.

Entre cime et abîme, orage.
Un faucon guette l'instant de halte.
À flanc de falaise, une souche
Lui tend le bras, comme lui hors d'âge.

Vertical jet d'alouette
Pulvérisant les nues.
Vol et cri emmêlés,
Flèche et flash confondus.
Quel don de quelle offrande ?
Brûlure, brisure,
                    brise…

Nostalgie de la rondeur, au cœur
        de l'universelle rotation :
Ainsi es-tu, fruit, à l'instar
        de toutes les étoiles.
Rond tu es, pour que chair et sang
Tournent autour d'un centre,
Que l'élixir de la mémoire point
Ne se perde mais se mue
        en saveur, en fragrance,
Que terme rejoigne germe,
Que toute graine renouvelle
Ombre et éclat
        du miracle de la naissance.

Un chant de mandarine,
Autre que mandoline,
Dans le vent dodeline.

Éclatante rondeur
Au soleil de matin,
La saison en offrande !

Les quartiers formant cercle
Autour d'un centre vide
À l'infinie saveur…

L'éternité, un jour
Ici, ô minuscule
Fruit du vaste univers !

Dans le vent dodeline,
Autre que mandoline,
Ce chant de mandarine.

Tu ramasses le fruit,
    le croques à belles dents.
Le teint, la senteur,
    le jus, la saveur,
Dans ton palais de
    la métamorphose,
Lentement se muent
    en délice aérien.
Et tu cherches à dire
    ce que tu ressens :
Plus que la jouissance,
    la reconnaissance !
Merci donc au sol,
    merci à la pluie,
Au soleil, au vent,
    aux morts, aux vivants,
À tous ceux qui donnent,
    à la Création
Qui du Rien a fait
    advenir le Tout.
À toi-même aussi,
    à ta bouche qui goûte,

À ton cœur qui bat,
    à ta mine béate,
À ton cri d'extase !

La terre n'est plus au centre ?
Où donc se trouve le centre ?

Le centre est là
Où un œil voit,
    où un cœur bat.

Vécue par nous.
La terre s'éveille
    au cœur des astres.

Tout est présence,
Tout rejoint tout,
    voie circulaire.

Le centre est là
Où prend l'essor
    la résonance.

Au royaume de l'intervalle, où
Circule le souffle du vide médian,
Celui qui naît d'un double élan de vie
Voit son âme germer et croître.

Au royaume de l'intervalle, où
Se libérant de la chaîne des monts,
Une source se transmue en nuage-pluie,
Entre ciel et terre – cercle infini.

Point de retour sans aller

Le fleuve de larmes et de sang
S'évapore en brume légère
Se condense en nuages flottants
Retombe en pluie fertile,
Tout le perdu est repris
Source et mer sont retrouvailles

Point d'aller sans retour.

Voie circulaire,
D'un ordre l'autre :
Phénix pris dans l'ardent souffle,
Charnelle montée en spirale,
Au prix de la chair brûlée,
Vers l'aire des âmes errantes…
Toute chute une brèche offerte,
Tout tournant une passe franchie ;
Au centre des étoiles filantes,
Rien sinon les cendres-semences.

La pluie chante en nous son retour éternel,
En nous la terre oublieuse retrace son chemin.

Senteur des collines en fête,
Murmure des pêchers en fleur,
Sourire des auvents en larmes,
Tout feu pris toute fumée bue,
Toute chair au sang délivré,
Et tout mot soudain souvenu.

Dans le cœur désert, nous reprenons goutte
                                    à goutte
La source que nous avions cédée aux saisons.

Toujours nous attend un sentier d'été
À travers les durables senteurs céréales,
À travers le bois de hêtres, de chênes, bruissant
De frôlements, de craquements, de battements
                                        d'ailes…
Un tronc couché couvert de gloire de lichens
Saigne d'une résine au reflet de l'enfance.
Terre immémoriale, air empli de soif
Qu'étanchent à peine les prunes sauvages.
Qui donc viendra ? depuis toujours déjà là ;
Qui a oublié ? depuis toujours dans l'oubli.
Pourquoi tant d'attente lors d'un furtif passage ?
Dans l'haleine de l'humus, pourquoi tant d'émoi ?

Nous aurons souvenance des rizières sans âge
Où se mirent, tutélaires, les montagnes bleues,
Des plants de riz agitant leurs bras d'accueil
    vers les nuées de passage,

Des volutes montant de la pipe des vieillards,
Des ailes d'hirondelles cisaillant l'air du soir,
Du soudain silence qu'intimèrent les enfants
    à la recherche des grillons…

Leurs oreilles, absorbées, n'entendirent point
L'appel de leur mère dont la robe écrue
Déjà se noyait dans le couchant. Seule la lune
    unissait les rêves humains.

D'un moment à l'autre, l'anonyme brume
Va monter de la vallée ;
Bientôt nous nous abandonnerons
Au crépuscule, à la nuit.

Mais pour l'heure un soleil nous retient
Ici, à la mi-hauteur :
Terrasse de la demeure humaine,
Pierres dont l'ancienne senteur

Se mêle à nos mots, trois cyprès là
Au perpétuel flamboiement…
Seul un migrateur égaré capte
L'ardent souffle d'outre-ciel.

D'un moment à l'autre, la brume anonyme
Va monter de la vallée ;
Les cœurs humains soudain se tiennent cois,
En eux cri de l'ultime gloire.

Toute la splendeur d'un soir
Captée ici par un œil…
Est-ce nous qui cherchons à la voir ?
Est-ce elle qui cherche à être vue ?
Toute la splendeur de l'univers,
Espace d'un soir, a ému.

Nous qui voyons, sommes-nous vus ?

Quelque chose a donc ébloui,
Et quelqu'un a vu.
L'univers en nous s'est ému,
Espace d'un bref soir.
Ce don suffit-il pour nous combler ?
Cet instant a-t-il suffi

Pour combler enfin l'in-fini ?

Avant-goût d'humus,
Arrière-goût de sèves.

Si tu oses franchir encore
Le pont de l'eau et de l'herbe
Jusqu'au giron des senteurs
Où gît l'haleine d'une âme.

Coloquintes habillées d'or,
Et d'argiles œufs de tortue,
Au bout du sentier de l'ombre,
Faim-soif enfin retrouvés

Un pas de plus vers l'étang :
S'y mire une aigrette d'antan.
La grue, elle, d'un cri déchire
La fumée montant des pins.

Arrière-goût d'éclair,
Avant-goût de foudre.

La lumière d'automne en sa maturité,
Toutes choses en leur plus juste royaume.
L'escargot trace son trait d'argent sur la mousse,
Et les fourmis leur voie le long d'une haie.
Les pommiers, après s'être implosés en fleurs,
Ont accompli leur lente gestation ; leurs fruits
S'apprêtent à luire pour étoiler le jour…

Toi, si tu souris de tout ton clair visage
D'après-pluie, c'est pour accueillir la venue
De l'insaisissable fragrance qui, avançant
D'un pas aérien, hésite entre deux tilleuls :
L'un, vert tendre, tout de fraîche haleine du sol,
L'autre, bleu-or, tout de pur respir du ciel.
Mais toi, tu sais que tu n'as plus à choisir.

L'hôte invisible.

Déjà là ?
Ou n'est pas ?

Averse ou chant d'oiseau,
Givres ou lys fleuris,
Désir ou son écho,
Amour ou sa blessure…
Le diamant de l'instant
Taille à vif
Dans les interstices.

Porte close,
Songe ouvert,
Tel est l'accueil
De la demeure humaine.

L'invisible hôte

Déjà là ?
Ou n'est pas ?

Nous avons créé des signes
Pour que Tu nous fasses signe.

Ce coup de vent, est-ce Toi ?
Ce cri d'une biche égarée ?

Ce chien qui aboie la lune ?
Ces feuilles d'érable qui saignent ?

« Plus que nommer, déchiffrez ! »

Le Vide. C'est alors qu'au fond de soi
S'ouvre à nouveau la Voie qui du Rien
Avait fait naître le Tout, où la vie
Vécue se découvre en neuve partance.

Ces mots qui révèlent, qui prophétisent,
D'autres qui bousculent, qui bouleversent :
Une parole donc, la nôtre, criblée
D'éclairs, de rafales, ou tamisée
De brises, de chuchotis,
Fondue tout d'un coup dans la résonance,
Où les dires trop humains tentent
De déchiffrer ou de déchirer

L'éternel voile de l'innommé.

Tout est signe,
Tout fait signe,
Souffle qui passe,
Fruit qui s'offre,
Main qui touche,
Face qui crie :
« Retourne-toi,
Reprends-toi,
Reçois tout
    et fais signe ! »

La fleur qui affleure d'entre les pavés,
Un rayon qui raye la patine d'un mur,
Le regard de pitié que nous jette la bête
De somme surchargée, le furtif parfum
Qui nous arrête et nous emplit de regret.

Et tous les cris entendus : cri de l'enfant
Qui a perdu sa mère, ou de la mère
Qui a perdu son enfant, cris des oiseaux
Qui varient selon l'heure, cris de douleur
Ou de plaisir qui tant se ressemblent.

Et l'instant muet qui soudain révèle,
Au-dedans et au-delà de nous,
Trouant le palpitant présent, l'impalpable
Présence qui nous fait dire à voix basse :
« Nous sommes parce que tu es. »

Nous comprenons alors que nous aurons
À refaire le chemin parcouru, à nous

Transmuer en signes, afin de re-signer
L'accord depuis si longtemps rompu,
De rétablir la voie et le règne.

Or voici :

Le vrai silence vient au bout des mots ;
Mais les mots justes ne naissent
    qu'au sein du silence.

De même :

La vraie voie se continue par la voix ;
Mais la juste voix ne surgit
    qu'au cœur de la voie.

Ici,
Nous avons posé l'obscur,
Nous avons posé l'éclat,
Afin qu'un jour se souvienne…

Ici,
Nous avons tracé le trait,
Nous avons laissé vacant,
Afin qu'un jour   advienne.

À un jardin

Oui nécessaire clôture
Pour que le lieu devienne lien
Et le temps attente.

Que le sentier mène à l'amante,
Que tout désir aille à son terme,
Que chaque fleur porte visage et nom,
Que chaque fruit préserve faim et soif,
Que vent et pluie soir et aube
Renouvellent leurs offrandes sur l'herbe,
Que l'infini, lui, fasse halte
Sur la cime des pins.

Oui nécessaire clôture
Pour que le lieu soit appel,
Et l'instant répons sans fin.

Le coup de vent ne retiendra rien.
Il disperse toute la senteur
Des champs de blé mûri à point
Craquant sous la chaleur de juin.
Seules les sauterelles sur épis
Crient leur soif à la vieille plaine,

Lorsque se tait la voix humaine.

Parfois, ce qui se murmure en nous
Devient audible. Nous entendons
Alors tant et tant d'autres murmures
Chez les vivants et les morts, depuis
La nuit des temps, disant un secret
Lancinant jamais éclairci, basse

Continue de la Voie qui seule sait.

Tout ce qui vit est unique :
Ce lieu, ce feu, cet instant,
Ce soleil buvant rosée,
Cette brise hélant écho,
Ces gestes nôtres, ce regard…
Quel dieu donc, sinon unique,

Peut-il répondre à nos cris ?

Diaprée compagnie,
Vous les ancolies
D'arc-en-ciel nimbées,
Ou de brume de nuit.
Une saison durant
Vous nous sauvez de

La mélancolie.

Nuit d'été,
Ton nom suranné nous réunit,
Hommes et bêtes,
Dans la commune mémoire
De ce que nous avons été.

Au chant triste des roseaux
Les grenouilles font écho ;
Mais les lucioles, elles,
Faisant feu de tout bois,
Reprennent le fil de leur conte

De fées.

Sur fond de brume, l'aube trace
Maints traits en guise de saules…
Puis, tout au bas du ciel,
Elle appose, rouge, le sceau.

Ce quelque chose – ou quelqu'un –
Venu de loin
Qui nous effleure avec douceur,
Dans la velléité de l'aube,
Pour nous annoncer que toujours
Le monde recommence.

Il nous entoure d'une tunique d'herbe
Et de rosée,
Puis s'en va à pas d'écureuil,
Nous laissant inter-dits,
Dans le jour iné-dit
Qui déjà commence.

Bleus de la profondeur,
Nous n'en finirons pas
    d'interroger votre mystère.

L'illimité n'étant
Point à notre portée,
    il nous reste à creuser, ô bleus

Du ciel et de la mer,
Votre mystère qui n'est autre
    que nos propres bleus à l'âme.

Et le divin nous traverse de bout
En bout, brusque éclair pulvérisant
  les nues de l'attente ;
Sourde flamme flambant le sous-bois
De l'arrière-saison, que bouleverse
  une inattendue averse…

Miracle des iris à l'élixir
Bleu, et la terre s'offre saphir.

Il neige dans la nuit,
En secret, en sourdine.
En un instant, la terre
S'éclaircit, s'épaissit ;
L'air froid cède le pas
À une douceur subite.
Longtemps privés de feuilles,
Les arbres se sentent pousser
Des ailes ; de branche en branche
Ils suspendent des guirlandes,
Criant : « Demain la fête ! »
À l'aube, tout est fin prêt,
Tous s'habillent de neuf.
Conviés au grand festin,
Intimidés, mésanges
Et merles osent à peine
Bouger leurs pattes, de peur
De salir la nappe blanche…

Sur le pré, l'énigmatique tortue,
    à la démarche immémoriale,
En quête de quel secret tu ?
    de quel oracle inaugural ?

C'est le jour du printemps,
Tu longes seul le jardin :
De l'autre côté du mur,
Une branche qui dépasse
Chargée de fleurs jaune or
Dont tu ignores le nom...

C'est l'heure pour toi
D'abandonner
La peur, le doute,
De passer outre.

Cette lumière tremblotante
    sur le rebord de la coupe,
Cette mouche qui bourdonne
    çà et là, un long moment…

Dehors, un matin de mai
    qui s'offre, clair et plein, heureux
D'être reconnu par toi,
    d'être simplement là, en soi.

Et mars rompt encore
    les glaces de la chair,
Et juin brûle encore
    les branchages du sang.

Nous avons trop vécu pour ne plus être :

Jamais trop d'une rosée
    sur les feuilles de lotus,
Jamais trop d'une brise
    parmi les hautes herbes.

Flaque de lumière,
Flaque d'eau,
Au sein de l'éternelle rotation des astres,
Cette brève flamme chasse la lente grisaille
D'un après-midi.

Flaque de lumière,
Flaque d'eau,
Attirant quelques moineaux : leurs gazouillis
Rappellent un instant le bonheur terrestre :
La soif étanchée.

Par-dessus la cime des hêtres,
Le silencieux souffle qui passe
Capte un moment du haut échange
Entre feuillages et nuages,

Moment où le feu diurne s'épuise
Et l'espace, soudain, est tout ouïe…

Encore un jour de gloire,
Pour ceux d'ici qui voient.

Gloire des corps, gloire des fruits,
Mystère même des étoiles.

Pour ceux qui voient et louent,
Nulle possession, nulle proie.

Sol nu buvant la source,
Rien d'autre que cri de joie.

Encore un jour de gloire,
En deçà, au-delà.

Nous sommes éphémères,
Il nous demeure l'instant,
Débris de la mémoire
Que les mots ressuscitent,
Toute la vie afflue
Vers un présent offert :
Geste in-vu d'un cyprès,
Chant in-ouï d'un loriot…

Toute la vie perdue
Parmi les astres muets
Depuis longtemps éteints
Hors des années-lumière,
Que sauve un seul regard
Né d'appels persistants,
Où larme rejoint rosée,
Où cendre et miel font un.

Chute de météore
Au-dedans de soi,
À corps perdu,
    à corps fendu.

Craquement, fracture,
Creusant le vide,
Jusqu'à la venue
    du haut silence…

Lointainement alors,
Par-delà l'oubli,
Se fait entendre,
    du sol ouvert,

Le gémissement
    d'une herbe qui pointe.

Diamant fendu,
Jade brisé.

Au plus pur des attachements
Répond le plus dur arrachement.

Mais cette irréductible dureté
Est l'unique mémoire qui dure.

Long rayonnement d'un astre
Au travers de mille désastres.

À André Velter

Ah, ce tam-tam ravivant la vaste rythmique du
                                  monde,
Cette incantation se propageant d'onde en onde,
Cette figure vêtue d'écorces d'arbre, de peaux de bête
Et de dignité royale !
Toi, le nouveau chaman à la semelle de vent,
D'où te vient ce don de réunir en tes tréfonds
Âmes retrouvées et âmes errantes ?
Toi qui, depuis la Meuse, ameutes sans cesse
La faune hivernante, tu as toujours devancé
Le printemps, et par-dessus rages et ravages,
Instaures l'indéracinable ardeur
De vivre l'ici-maintenant.
Arrache-nous de l'arrière-salle enfumée,
Du moite arrière-port,
Emmène-nous à tes ascensions, à tes chevauchées
Pour rejoindre toutes contrées où les cris humains
Se transmuent en chants,
Cette incantation se propageant d'onde en onde,
Ce tam-tam ravivant la vaste rythmique du monde !

Le 1ᵉʳ février 2011

Oui, voici la colline et la vallée,
Voici le lac et le reflet des nuages.
La lumière les dévoile aube et soir
Et le printemps revient à tire-d'aile !
Terre habitable, humain séjour provisoire :
Il n'est vrai paysage que de nos mémoires…
Ô pays ! ô âge ! Transplantés ici,
Nos désirs et paroles nous unissent
À tous les lointains, au grand iambe
Du prime matin du monde. Écoutons donc
Le chant des âmes errantes, de leurs élans
Inachevés, chant fondu dans les sources
Et la brise, chant nôtre ! L'infini n'est autre
Que nos énigmatiques échanges, sans cesse
Renouvelés, avec l'immémoriale promesse.

Nos lieux, nos instants, à jamais uniques !

Enfant, si proche encore de ta naissance,
À ton tour, tu apprends l'enfantement.
Le monde n'existe point tant que tu l'ignores,
Tu le vois, toujours pour la première fois !
Ton regard l'enfante, l'invente, l'enchante ;
Tout semble t'attendre, tout reste ouvert :
Aube d'été, le bleu du ciel et le vert
De la terre viennent s'offrir à toi.
L'espace est un cerf-volant sans contrainte,
Et le temps le trot d'un âne sans fin.
La brume ayant établi tous les ponts,
Une chenille ouvre la voie des dragons.
Toi, tu connais le chemin à travers
Fourrés et cascades te conduisant
Au lieu magique où tout se transforme :
Le têtard en lézard, la libellule
En alouette chevauchant les étoiles…

Mais au cœur du monde, tu connaîtras tôt
La douleur des arrachements, les affres
De la nostalgie. Pour toi désormais
Quelle survie autre que la seconde enfance ?

De ce côté de la balustrade,
Le vert est à son comble.
L'été haut suspendu nous couve
    de ses frondaisons.
De cime en cime, les mésanges
Tissent leur règne invisible,
Alors que les chenilles se frayent un passage
    dans l'interstice des pierres.
Entre deux dires, entre deux rires,
Nous pressentons qu'autour de nous
    mûrissent de grandes choses.

Plus loin, très loin, par-delà
La vallée frémissante d'échos,
Des collines flamboyantes voilées
    de brume se détache une présence.
Entre deux rires, entre deux dires,
Nous la voyons vers nous s'avancer.
Puis, souffle en arrêt, elle est là devant nous,
Omniprésente, enveloppante,
    avant de lentement nous traverser.

Nous nous figeons en silence, devinant
Que de grandes choses s'accomplissent
      en dehors ou au-dessus de nous,
Sans que nos voix aient rejoint la Voie.

Helsinki

Voici que la terre trop longtemps gelée
Sous la brusque chaleur implose
En notes sourdes, en éclats sonores !
Les ajoncs ne se tiennent plus de joie,
Les lupins à pleins tubes lancent leur orgue.

Mais plus pudiques, plus secrets,
À l'ombre des feuillages, à l'abri
Des pépiements, des gazouillis,
Retenant le pas des passants, les faisant
Se retourner : les glycines, les lilas,
Les jasmins, les seringas,
Les roses de la Saint-Jean !

Ô long jour sans nuit, sauras-tu durer
Plus que nos plus durables désirs ?

Helsinki

Pâle lune de la Saint-Jean

En plein cœur de la clairière,
Le feu est allumé,
Du haut bûcher a jailli
La plus haute flamme,
Les cris se sont répandus
D'île en île...

Nous savons qu'impérissable
Restera notre soif
De rosées, de jus d'érable,
De fraises sauvages ;
Seule est perdue une enfance
Entre crépitements

Et clapotis.

Avant la tempête annoncée,
Il y a ce coin d'hiver,
Ce coin perdu de l'univers,
Où s'attarde un reste de soleil,
Le reste d'une bûche mal éteinte,
Étrangement présent encore,
Étrangement lumineux,
Dorant à point le muret,
Marque de la clôture humaine.
Il y a ce tilleul dénudé qui tente
D'envoyer ses ultimes feuilles
Vers l'autre côté du muret,
Il y a depuis l'autre côté
Cette ancienne senteur qui revient,
Senteur d'une fumée bleue
Ravivant soudain les lierres roussis
Où s'ébrouent deux mésanges.
Ah, quelles châtaignes ramassées
Craquelant dans la haute flamme ?
Quels fretins frais pêchés
Grillés aux aiguilles de pin ?

Fondus depuis si longtemps
Dans on ne sait plus quel limon
À l'impérissable odeur terrestre.

Qui répandra encore le durable été
sur l'odorant craquement
de sorghos au vent ?
Qui suspendra le vol de vautours
sur la cime inviolée
de dix mille trembles ?

De vague en vague
Le long vent nous apporte
    les rumeurs de l'autre rive,
Toute la mémoire de l'ineffable senteur
    d'algues et de sables écumants…
Nous n'en avons cure, arcs et filets tendus,
Nous nous apprêtons
    à rompre l'antique pacte de sang.

S'échappe de nous, à l'arrache-corps,
À l'arrache-cœur, le vol oblique
    de la haute tribu d'oies sauvages,
Fendant les nues, fendant l'azur,
    fondue dans l'autre versant du Vide,
Nous laissant seuls sur la plage
Aux prises avec la fumée
    d'os, d'arêtes et de racines calcinées.

Soudain, au-devant de soi, l'évidence.
Ce quelque chose d'étrangement déchiré,
Ou de déchirant, néanmoins d'un bloc,
Entier, indivis, venant de très loin,
Ou de tout près, au-devant de soi,
Ébranlant corps et âme, évidente présence.
Un monde est là : les nuages
Qui planent, la source qui coule,
Le pré qui s'étire, les arbres
Qui veillent, les cris de cigales
Sous l'injonction d'un rayon,
Le sifflement des aiguilles de pin
Au passage de la brise, l'invisible
Tapisserie que tissent les vols
Croisés des guêpes et des libellules…
Chaque chose en son lieu, en son temps,
Toutes choses en leur lien, en leur change.
Un monde de partage, comme prévu
Ou imprévu depuis l'origine, advenu
En cet instant de l'éternelle donation,
Ici retourné par un regard étonné

En perpétuelle offrande.

À Yvon Le Men

Demeure d'ici, qui toujours demeure,
Nous t'avons prêté une âme, à moins
Que ne sois âme toi-même.

Ton auvent pour cueillir fiente et miel,
Car hirondelles et abeilles t'habitent ;
Tes murs cuits sont pains bénits.

Âme aérienne autant que charnelle,
Malaxant sol et nue, peine et joie
En d'irradiants filigranes

Bleu-or.

L'invisible contemple,
Mais ne dit pas mot ;
L'invisible ressent,
Mais ne dit pas mot.
Parfois, trouant la mémoire,
Il nous réveille
Par un furtif geste.

La brume levée, le paysage
Un instant révélé :
Appel d'une prairie fleurie ?
Rappel d'une cascade cachée ?
Nous entendons pousser en nous
Le cri d'un geai,
Sans trouver le mot.

L'aurore monte l'escalier à pas feutrés
Et frappe, légère comme l'air, à ta porte,
Aurore porteuse d'une passion contenue,
Divins rayons à la chasse de l'unique.

Arrachée à tes songes évanouis,
Sommeillante encore, tu ouvres ta porte,
Livrant ton corps sous ta chemise de nuit
Couleur d'un printemps sombré dans l'oubli.

Le trésor terrestre à peine effleuré,
Voici que, muette, l'aurore se retire,
Laissant vacants la demeure et le jour,
Où se meut l'ombre de la nostalgie.

Ce rai d'après-midi pénétrant
Ton sombre logis, toi l'avorton,
Tu le sais l'ange venu de loin,
De la nuit des temps : annonciation.

L'inconnue qu'un soir je croise
Rue de l'Abbé-de-L'Épée
Me foudroie d'un bref murmure :
« Merci d'être ! », sans savoir
Que, toute amertume bue,
Je m'achemine vers la nuit…

Ce ciel étoilé pour rien ?
Verte aurore boréale !

Tel soir d'hiver, sur mon chemin,
Je croise une mère pressée de rentrer,
Suivie de sa fillette à la pâle
Figure qui toussote dans le vent.
Celle-ci me fixe un instant de son regard
D'ange, et nous échangeons un sourire,
En ce coin perdu de la trop vaste
Terre, laquelle ignore notre existence...
Ô toute la détresse humaine,
Toute la tendresse humaine,
Toute la peur mêlée de mille rêves
Doux ou fous... Il y aura des jours
Emplis d'attente à passer, il y aura
Des saisons changeantes à traverser.
Un jour, femme devenue mère,
Tel soir d'hiver, sur ton chemin,
Tu te souviendras, n'est-ce pas,
De l'étrange étranger à la pâle
Figure toussotant dans le vent,
Qui t'a un instant fixée de son regard
D'ange, trop vite évanoui dans la vaste nuit.

Dans cette rue où tout s'écoule
Sans accroc, tout marche sans faille,
Il arrive pourtant qu'en plein jour
Se produise un effondrement :
Une vieille dame qu'on aide à se
Relever, à s'asseoir sur un banc.

« Oh, non non, ce n'est rien ;
Mais pas à l'hôpital ! »
« Reposez-vous un peu
Ici, en attendant… »
« Oh, j'ai bien tout le temps,
Personne ne m'attend… »

Ici, ce jour, entre terre et ciel,
Une vérité est dite : « J'ai bien
Tout le temps, personne ne m'attend. »
Oh, nous les passants trop pressés,
Sommes-nous sûrs d'être attendus ?
Sûrs d'avoir encore tout le temps ?

Les nuages voguent sur la cime des arbres ;
Les arbres se balancent sur leurs propres ombres.
Le jour dans le bleu de son innocence ;
La rue dans le gris de son insouciance.

Tu es seul à entendre le bruit de tes pas,
Seul à savoir aussi que tu vas tout quitter,
Sans rien laisser, ni tes peines ni ton nom.
D'autres noms d'autres peines pourtant te
                          reviennent…

Tout est déjà si loin, si loin dans l'oubli ;
Quelqu'un doit se souvenir, mais qui ? mais qui ?

Or, depuis si longtemps
        nous le savons :
Quand nous sommes à l'écoute,
        nous entendons ;
Quand nous sommes aux aguets,
        nous recevons.

Dans la nuit silencieuse
        choit un pétale,
Derrière le mur aveugle
        tinte une clochette,
Véga ne se signale
        qu'aux âmes qui veillent…

Que nos demeures maintiennent
        ouvert leur seuil ;
Que toujours nos instants
        se fassent accueil.

Par-delà le mont,
Il y a d'autres monts,
Par-delà d'autres monts,
Nous le devinons,
Il y a, couronné de nuages,
L'ultime couchant,
Trop vif encore de flammes
Pour nous dire adieu.

Nous restons ici,
En cette vallée,
Gîte de fortune, repas frugal,
Aux sons d'une cascade.
Quand chante l'oiseau de nuit,
Nous le pressentons,
De l'autre bord du ciel
Viendra la lente pluie.

À Shelley

I

Étrange promesse de cette terre anonyme !
Toi, esprit libre, errant de lieu en lieu,
Tu atterris un jour sur ce point du globe,
Les hauteurs d'un mont des Apennins.
S'étale sous tes yeux, jusqu'à l'horizon extrême,
Le tant rêvé tombeau-berceau méditerranéen.
Le contemplant de toute ton âme en éveil,
Tu y devines les dieux endormis, et tu t'exaltes :
« Bénis soient l'heure présente, le sol d'ici,
Béni soit notre corps par où passe le ressenti.
Espace d'un éclair – mais en quel coin perdu
Au sein de l'immensité sidérante sidérale ?
Éclair de ce minuscule cœur qui bat là,
En cet après-midi d'un solstice d'été…
Béni soit le miracle qui fait que cela soit.
Cela est ! Cette improbable et indéniable Vie,
Une fois pour toutes – donc pour toujours –
Offerte. En ce lieu original, la lumière
Renouvelle son avènement. De l'ombre sépia

Émanent jaune or et bleu saphir. Montent
Alors de l'humus les senteurs de lichens
Et de mousses, adoucissant les chauds rochers
Aux laves mal éteintes. Se déploient alors
Les mûrs désirs en bourdonnement, vrombissement.
Tous vivants que le hasard réunit – chacun unique,
Présence advenante – se révèlent nécessaires
À la beauté de cet instant. Ô noces mémorables
Des racines enfouies et de la brume planante,
Des loriots intermittents et de la cascade continue !
– Qui est là, invisible, prêtant l'oreille, captant
La vue, au rendez-vous de l'incarné ? – ici, ici,
Le parfum floral aux rayons d'abeilles que frôlent
Les bonds d'une biche, la brise marine aux ailes
D'elfe que les sapins portent aux nues… »

II

Là-bas, très bas, une baie secrète ouvre
Ses bras d'amante en un geste d'invite,
Tu entends la voix des vagues qui te parle
Au plus intime : « Âme en peine, accorde-toi
Un répit, sois d'ici l'hôte, fais d'ici
Ton séjour. Car c'est bien pour ton rêve,
Si ton cœur en est digne, que tout ceci
A été fait. » Obéissant, tu te lèves et descends
Vers la baie, vers ton suprême séjour
Qui se conjuguera à jamais au présent.

Ah, que vienne l'aurore, et la mer, éblouie,
En attente : tu t'y plonges, porté
Par la clarté du matin du monde.

Que vienne le couchant, et la mer, conquise,
En offrande : tu t'y plonges, livré
Aux éclats de tous les outre-mondes.
Femmes en amour devient la mer, quand l'attire
La pleine lune ; bercées par le frêle esquif,
Tes paroles ravissent les âmes éprises.
Séjour divin ? séjour humain ! Prenant part
Aux rires et pleurs des pêcheurs d'alentour,
Sous le soleil généreux, tu n'as garde d'oublier
Tous les damnés de ton ancienne contrée,
Leurs ruelles humides, leurs prisons moisies…
Comment nier cependant que la beauté a lieu ?
Rien ne peut plus faire qu'elle renie sa splendeur.
Son élan se perpétue ; nous-mêmes nous changeons.
Poussières d'entre les poussières, vanité
Des vanités ? D'où vient alors l'inapaisable
Émoi ? D'où, à nouveau, ce lancinant effarement ?
Perdu au sein de l'immense, espace d'un éclair,
Ce grain de poussière fait homme, par quelle
Magie, a vu, entendu, s'est ému, s'est mué
En langage, en échange, en longs chants
De révolte, de tourment, de louange ?
Chanter, c'est bien cela ! Chanter, n'est-ce pas
Résonner ? À quoi d'autre, sinon à l'Être ?
Chanter, vraiment chanter, c'est se hausser

À l'incessant appel de l'Être, c'est être !
Serions-nous par hasard, de ce cosmos,
Le cœur battant et l'œil éveillé ? Au gré
Du souffle, toujours plus hauts, plus clairs,
Ignorant les limites, nos répons à l'appel,
Chargés de tant de désirs inassouvis,
Vont jusqu'aux confins de l'éternel.

En 1821, après un séjour à Pise, Shelley et sa femme Mary, en compagnie d'un autre couple d'amis et de leurs enfants, vinrent s'installer à Lerici, une baie à la courbe parfaite, au cœur du golfe de La Spezia. Ils logèrent dans une spacieuse maison patricienne, toute de blancheur, adossée à la colline boisée, juste devant la mer, maison demeurée intacte aujourd'hui. En juillet 1822, le poète et un ami effectuèrent en bateau un voyage du côté de Viareggio. Surpris par une tempête, le bateau fit naufrage, et les deux occupants périrent noyés. Veillé par Mary, par des amis – dont Byron – et des pêcheurs du village, le corps de Shelley fut incinéré sur la plage même, dans le bruissement de cette Méditerranée qui, après lui avoir accordé tant d'heures lumineuses, le fit mourir.

Le golfe de La Spezia, protégé par de hauts monts, hanté très tôt par un Virgile, un Dante, et plus tard par tous les grands poètes italiens et par d'autres poètes venus d'ailleurs – parmi ceux-ci on peut citer D. H. Lawrence ou Ezra Pound –, est baptisé le golfe des Poètes. En 2009, recevant le Grand Prix de poésie de Lerici, j'ai séjourné en ce haut lieu, et j'ai composé *L'élégie de Lerici* dont je donne ici deux importants extraits.

À Jacqueline de Romilly

Parfois la vie daigne te faire un signe,
Un bruit, une senteur,
Une voix, un éclair.

Tu te retournes,
Tu ne vois rien,
N'entends plus rien,

Sinon cette ombre portée d'une présence,
Trop vaste pour être vue,
Grosse de tout ce qui a été vécu ;

Sinon le poignant reflet d'une lumière,
Trop proche pour être vraie,
Emplie de tout ce qui a été promis.

Tu ne vois rien,
N'entends plus rien,
Sinon peut-être

Ce prénom d'un enfant
Crié dans le square voisin,
Enfant que cherche sa mère ;

Ou la tornade poursuivant
Une feuille qui vient de tomber,
Là, au tournant de la rue…

À Florence Delay

Toi qui entends,
Sois notre sœur,
Essuie nos larmes,
       guéris nos peurs.

Toi qui comprends,
Sois notre fée,
Dénoue nos peines,
       soigne nos plaies.

Passé minuit,
Un loriot chante,
Trouant le ciel
       de nos appels,

Toi qui entends
– par-delà tout –
Sois, de nos mots/maux,
       sans fin   écho.

Il arrive, mais souvent,
Que le mystère soit proche,
Ce don d'être encore là
Jour après jour, d'ouïr
Le cri, le chant, l'envol,
De poursuivre la trace
De la brume, au travers
Du sang vif du couchant.

Il arrive, mais toujours,
Que proche soit le mystère,
Éclair d'un regard pris
Dans la tourmente des flots,
Éclat d'un geste perdu
Entre sable et roseaux,
Instants sauvés pourtant
En très longue résonance.

Trait
Par trait
Pli sur pli
Espace éclos
Vide médian
Souffles ravivés
Au creux de la main
Alors que se déplie
L'éventail des désirs
Tendre nuit qu'un lys déchire
Jaillit de la mousse un cerf !
Ô jet de lait ô flux de sang
Quel aigle au feu diurne arraché ?
Chute d'une plume à flanc d'abîme…
S'ouvre la vallée d'onde en onde
Défaits refaits les plis du cœur
Du tréfonds monte l'écho
Né du chant d'un sycomore
Aux purs gestes d'amour
Signant l'unique été
Non plus pétrifié
Non point putréfié
Mais périclite
À l'infini
Pli sur pli
Trait par
Trait

Mais nous reverrons bien ceux à qui
     nous n'avons pas dit à temps au revoir,
Ceux qui sont partis sans dire mot
     dans le long effroi du délaissement.
Nous les reverrons, car nous n'aurons
     de cesse de leur dire les mots qui n'ont été
Dits à temps, de leur répéter sans fin
     au revoir au revoir selon la loi de la Vie :
Toute fleur est une fleur refleurie,
     toute pluie une source retrouvée, toute larme
Une peine ravivée, tout visage un regard
     reconnu, tout sourire un don échangé,
Et toute vie à venir
     une vie à jamais survécue-souvenue.

La soif comme la faim,
Les rires comme les pleurs,
La douceur, les blessures,
La furie, les regrets,
Nous n'en jetterons rien,
Nous les emporterons tous,
Indégradables viatiques,
Pour un très long voyage.

Midi silence.
Me foudroyant
Au cœur des champs,

Un cri,

Chu de l'azur,
De ton haut vol
Qui loue et fête,

Alouette !

DEUXIÈME PARTIE

LUMIÈRES DE NUIT

Vraie Lumière,
Celle qui jaillit de la Nuit ;
Et vraie Nuit,
Celle d'où jaillit la Lumière.

Nuit mère des lumières,
En son sein Lumière est.

Déjà sang déjà lait,
Déjà chair déchirée,

Déjà voie de tendresse,
Déjà voie de douleur,

Déjà prête à mourir,
Mais toujours renaissante,

Déjà ultime sursaut,
Mais toujours
                premier jet.

Mais ce qui a été vécu
Sera rêvé ;
Et ce qui a été rêvé
Revécu.

Nous n'aurons pas trop d'une longue nuit

Pour brûler les branches tombées
À notre insu,
Pour engranger l'odeur durable
Des fumées.

Puisque tout ce qui est de vie
Se relie,
Nous nous soumettrons
À la marée qui emporte la lune,
À la lune qui ramène la marée,
Aux disparus sans qui nous ne serions pas,
Aux survivants sans qui nous ne serions pas,
Aux appels répétés qui diminuent,
Aux cris muets qui continuent,
Aux regards figés par les frayeurs
Au bout desquelles un chant d'enfant revient,
À ce qui revient et ne s'en va plus,
À ce qui revient et se fond dans le noir,
À chaque étoile perdue dans la nuit,
À chaque larme séchée dans la nuit,
À chaque nuit d'une vie,
À chaque minute
D'une unique nuit,
Où se réunit
Tout ce qui se relie
À la vie privée d'oubli,
À la mort abolie.

De sarments ils ont fait du feu,
    de tourments ils ont fait le chant.
Quand la nuit décapite, leurs corps
    crient l'initiale promesse du sang.

Quelle nuit cette nuit nous ne l'aurons pas vécue,
Parfum des lilas hors de notre toucher,
Regard des fauves hors de notre appel,
Murmure des saules perdus sur l'étang
D'où s'arrache un nuage vers nul ciel tendu.

Quelle nuit cette nuit déjà lointain souvenir,
Désormais sans lien nous avancerons
Sur toutes les voies ouvertes au vent,
Au milieu de tant d'astres éclatés,
Pour retrouver un sol où fondre et refleurir.

Nous sommes des violents, des violeurs,
Bourreaux, tortionnaires, exterminateurs,
Fiers de l'être, pourtant jamais assouvis,
Dévastant tout sur notre passage,
Si bref passage sur la planète offerte.

Après le carnage, vers le soir :

La terre, jonchée de corps démembrés, éventrés,
Est muette de stupeur ; l'univers entier se tait.
Par-dessus crânes fendus, entrailles versées,
Montent à présent les râles de douleur, à déchirer
Les nuages, à faire fuir les oiseaux,
Hormis les rapaces qui commencent à tournoyer.
Les massacreurs, eux, ivres d'alcool,
Repus de sang, vomissant, vociférant,
Quittent la vallée vers l'horizon livide.

Un bébé en pleurs, sur le sein de sa mère,
Jette l'unique regard de frayeur et d'innocence
Vers le ciel ouvert où
Apparaissent les premières étoiles.

À un soldat inconnu

D'un seul coup,
Tout livré.

Douceur, douleur,
Crasses et grâce.

Au champ d'honneur,
Chair en offrande,

Élan, éclat,
À ciel ouvert,

Âme béante,
Bouche bée.

Poigne d'homme,
Face d'homme,
Étoile de sang sur le front.

Corps broyé,
Os rompus,
Étoile de sang dans le cœur.

Broyée la promesse,
Rompue la parole,
Étoile de sang voici l'homme.

Nous voici dans l'abîme,
Tu en restes l'énigme.

Si Tu dis un seul mot,
Et nous serons sauvés.

Tu restes muet encore,
Jusqu'au bout sembles sourd.

Nos cœurs ont trop durci,
En nous l'horreur sans fond.

Viendrait-elle de nous,
Une lueur de douceur ?

Si nous disons un mot,
Et Tu seras sauvé.

Nous restons muets encore,
Jusqu'au bout restons sourds.

Te voici dans l'abîme,
Nous en sommes l'énigme.

Parle-nous,
Pour que plus rien ne soit perdu,
Ni la foudre embrasant les pins,
Ni l'argile chaude aux grillons.

Écoute-nous,
Pour que nos chants à toi dédiés,
Jaillis de la gloire d'un été,
Établissent enfin le royaume.

Toi l'absente,
Tu le sais,
Désormais,
Nous serons au monde
Par ta présence.

Par ton regard,
Par ton sourire,
Par ta voix qui dit
Tout le chagrin, toute la joie
De l'impensée vie terrestre.

Tous les rêves inaccomplis,
Tous les désirs inachevés,
Âme douloureuse ayant percé
L'infini, âme transparente
Qui désormais les irradie.

Toi la présente,
Tu nous conduis au centre

Du Double-Royaume,
Par-delà
Toute absence.

Sur ton passage tu annihiles tout.
N'est-ce pourtant toi, Mort,
Qui rends unique tout d'ici ?
Cette nuit même, n'est-ce toi
La brise qui parcourt les sentiers,
Le nuage qui, flottant, cache les étoiles,
Le parfum de tilleul qui soudain étouffe,
Les lucioles égarées là
Sur l'étang de la mémoire…
Ce brame déchirant cœurs et reins,
Biche blessée cédant à l'invite
D'un lit de mousse sans fond,
Au sein de l'aveuglante clairière.

La mort n'est point notre issue,
Car plus grand que nous
Est notre désir, lequel rejoint
Celui du Commencement,
Désir de Vie.

La mort n'est point notre issue,
Mais elle rend unique tout d'ici :
Ces rosées qui ouvrent les fleurs du jour,
Ce coup de soleil qui sublime le paysage,
Cette fulgurance d'un regard croisé,
Et la flamboyance d'un automne tardif,
Ce parfum qui assaille et qui passe insaisi,
Ces murmures qui ressuscitent les mots natifs,
Ces heures irradiées de vivats, d'alléluias,
Ces heures envahies de silence, d'absence,
Cette soif qui jamais ne sera étanchée,
Et la faim qui n'a pour terme que l'infini…

Fidèle compagne, la mort nous contraint
À creuser sans cesse en nous

Pour y loger songe et mémoire ;
À toujours creuser en nous
Le tunnel qui mène à l'air libre.
Elle n'est point notre issue.
Posant la limite,
Elle nous signifie l'extrême
Exigence de la Vie,
Celle qui donne, élève,
Déborde et dépasse.

S'abaisser jusqu'à l'humus où se mêlent
Larmes et rosées, sangs versés
Et source inviolée, où les corps suppliciés
Retrouvent la douce argile,
Humus prêt à recevoir frayeurs et douleurs,
Pour que tout ait une fin et que pourtant
Rien ne soit perdu.

S'abaisser jusqu'à l'humus où se loge
La promesse du souffle originel. Unique lieu
De transmutation où frayeurs et douleurs
Se découvrent paix et silence. Se joignent alors
Pourri et nourri, ne font qu'un terme et germe.
Lieux du choix : la voie de mort mène au néant,
Le désir de vie mène à la vie. Oui, le miracle est,
Pour que tout ait une fin et que pourtant
Toute fin puisse être naissance.

S'abaisser jusqu'à l'humus, consentir
À être humus même. Unir la souffrance portée

Par soi à la souffrance du monde, unir
Les voix tues au chant d'oiseau, les os givrés
Au vacarme des perce-neige !

Car nous n'oublions pas la prime Étincelle
      qui fit don de ce monde ;
Nos pas, en dépit de tout, se résumant
      en une quête sans fin.

Déjà nos lanternes d'antan, longeant
Les champs de sorgho, répondaient
      à l'appel des étoiles ;
Et nos torches haut levées, affolant
Les herbes sauvages, précipitaient
      l'arrivée de l'aurore.

Que d'errances aveugles surprises
      par d'inattendus feux de camp !
Que de désespérances noyées
      dans l'alcool des cris échangés !

Au bout de tout, le voyageur de retour
Reconnaîtra sans faille le seuil éclairé
      de la maison natale,

Car rien n'a pu faire oublier
La sourde berceuse que veillait
une bougie allumée.

À Juan Gelman

Restons inconsolables,
    restons inconsolés.

Laissons survivre en nous nos morts,
Laissons creuser en nous nos remords,
Gardons jusqu'au bout la douleur des disparus,
Gardons jusqu'au bout nos propres douleurs tues.
Que le tourment soit notre pain quotidien,
Que soient notre vin larmes et sang versés,
Il nous faut apprendre à durer
Jusqu'à ce que tout soit transmué,
Jusqu'à ce que soit transfigurée
Toute cette expérience terrestre de
    l'éternelle souvenance.

Que les cris de nos morts se mêlent aux nôtres,
Que nos cris saccadés se changent en chant,
Seul le chant peut submerger l'oubli,
Le chant seul peut déborder le temps.
Il nous faut apprendre à durer
Jusqu'à ce que nous reviennent

Les instants de promesse et de tendresse
– soleil buvant rosée, lune aspirant marée –
Poignante tendresse humaine, la seule qui compte,
C'est pour elle que nous sommes venus au monde.
Qu'ils viennent, qu'ils viennent donc

Ces instants tels que les change
    l'éternelle advenance !

Réveil en sursaut
De l'autre côté de l'abîme
Vertigineuse glissade
Plus prompte
Que brandons dévalant la pente pierreuse
Plus âpre
Que brusque arraché de lotus, de pavots
Puis averse de larmes
Inondant les tortues géantes
Dans le lac aux îlots éclatés
Puis envol
De l'unique aigrette
Par-delà l'infini clapotis des vagues
Toutes joies épuisées
Toutes douleurs bues
Rien qu'une vie déracinée
Rien que la vie qui demeure
Désormais ici
Désormais ailleurs
Hors de toute borne
Au-dedans de soi

Entrons dans le solitaire,
Entrons dans le silencieux,

Dans le rien,
Le plus rien,
Qui se tait
Mais se sait.

Entrons dans le silencieux,
Entrons dans le solitaire,

Une voix parle,
Parle sans voix,
Qui se sait,
Mais se tait.

Entrons dans l'abyssal antre :
Effroi, frisson, ou offrande.

Au milieu des deux règnes
Frayer l'étroit passage ;
Être le vide du cœur
Au cœur du vide médian.

D'une montagne à l'autre,
L'été suspend son vol ;
Nuage en feu, pluie de grêle
Départagent les eaux.

À l'ombre d'un vautour,
Sombre à pic le couchant ;
De vie à mort : un pas,
De mort à vie : un pas...

Au milieu des deux règnes
Frayer l'étroit passage,
Jusqu'au cœur du non-lieu
Où bat un cœur brisé.

Tout près du précipice,
Sans précipitation,
Il se retourne,

Tel un bateau rentrant
Au port dans l'or du soir,
Il revoit tout :

Les flambantes ruelles,
La chaleur de la foule
Avant la nuit.

Surgit en lui le cri :
« Ô vous, chers inconnus,
N'oubliez rien,

Ni douceurs ni misères,
Ni espoirs-désespoirs,
Retenez tout,

Car tout est à revoir,
Tous les rires, tous les pleurs,
Toute la gloire… »

À Max Gallo

N'éteins jamais ton feu,
Garde-le rouge et vif,
Au bord de l'île perdue,
     au bord de tout.

Viendrait à ton secours
– nul besoin de savoir –
Quelle déesse des eaux ?
     quel ange du vent ?

Il importe que ta flamme
Jamais de luire ne cesse ;
Qu'un jour l'éternité
     la reconnaisse.

PAS À PAS

À Francis Herth

Oui d'ici
D'un seul pas
Nous rejoindrons tout.

Le tout nous rejoindrons,
D'un seul pas,
Ou de dix mille.

Pas à pas,
Par le plus bref trait,
Par le plus long cercle,
Nous rallierons tout.

Car depuis l'extrême bord,
Perçant le noir tourbillon,
Nous avait touchés, jadis,
La flamme initiale.

Par la voie ouverte,
Nous enjamberons l'abîme de l'oubli ;

Nous n'aurons de cesse
Que nous n'ayons regagné l'autre rive.

Pas à pas,
Par la voie obscure,
Par la voie nocturne,
Car c'est la nuit que circule incandescent
Le souffle originel,
Et que, par lui portés,
Nous réveillerons
Toutes les âmes errantes.
Voix de la mère appelant le fils perdu,
Voix de l'amante appelant l'homme rompu,
Trace de givre le long de sombres ruelles,
Trace de larmes le long des parois closes,
Le crève-cœur d'une étoile filante
Crevant l'enfance au rêve trop vaste,
Le trompe-l'œil d'une lampe éteinte
Trompant la longue attente
Au regard trop tendre.

Si jamais une chaude paume s'ouvre à nous,
Serons-nous sauvés ?
Si jamais tendent vers nous les bras secourables,
Serons-nous réunis ?

Déjà les feuilles de sycomore ensanglantent la terre,
Les sentiers aux gibiers se découvrent glace et cendre,
Plus rien sinon plages noyées, marée montante,

Plus rien sinon le Rien par quoi un jour
Le Tout était advenu.

Lorsque les oies sauvages déchirent l'horizon,
Soudain proche est l'éclair de l'abandon.
Pour peu que nous lâchions prise,
L'ultime saison est à portée.
Désormais à la racine du Vide,
Nous ne tenons plus que par l'ardente houle,
Chaque élan un éclatement,
Chaque chute un retournement,
Tournant et retournant, le cercle se formera
Au rythme de nos sangs ;
Un rebond encore
Et nous serons au cœur,
Où germe sera terme,
Et terme germe,
En présence du temps renouvelé.

Oui d'ici,
D'un pas de plus,
Nous rejoindrons tout.

Au royaume de l'infini, la moindre lueur
Est diamant, et tout est constellé.
D'un instant à l'autre, nous sauverons
Ce qui est à sauver,
Du Corps indivisible
Rongé de peines, de joies,

Nous sauverons l'insondable nostalgie :
L'in-su,
L'in-vu,
L'in-ouï.

Toi, dieu de souvenance, tu le sais,
Tous nos désirs vécus ici demeurent
Intacts. Si un jour tu dois revenir
Vers nous, ce ne sera point par pitié,
Car toi, dieu d'advenance, tu auras
Besoin de nous pour te refaire une vie,

Nous qui avons survécu à l'abîme.

TROISIÈME PARTIE

PASSION

De quelle nuit es-tu venue ?
De quel jour ? Soudain tu es
Au cœur de tout. Les lilas
Ont frémi ; le mot est dit.
Tout prend sens, tout se découvre
Don. Dès lors, tout se transmue :
Le ciel-terre en chair aimante,
En ondes sans fin les instants.

Iris, prunelles, paupières, battement de cils,
Indivisible diamant, tes yeux ! silencieux là,
À l'ombre des saules pleureurs, irradiant
Un paysage vécu ou rêvé depuis l'origine où fut
Posée la promesse d'un miracle, soudain ici
Accompli, fraîcheur de source et d'herbe
Nimbant l'arrivée d'une aube… Tout l'ouvert
N'est plus qu'attente. Pour quel divin envol ?

Mais le Divin n'est autre que le Regard advenu
De bien plus loin que toi, qui, devenu tien,
Donne le jour à tes désirs enfouis, transmuant
Douleur et douceur, effrois et émois,
En un rayon irisé, unique, ô éclair de l'âme
Éclairant tant d'autres regards tendus vers toi,
Muets de stupeur, pendant que le tien propage
D'onde en onde sa résonance jusqu'au bleu
                                        constellé,

Sur l'insondable Voie de la re-connaissance.

Oui, un mystère, les yeux, les tiens.

Ils t'ont été donnés pour voir,
Voici qu'eux-mêmes ils donnent à voir !

Faut-il croire qu'ils sont donnés
Pour égaler la beauté qu'ils captent ?

Que la lumière qu'ils reflètent
Doit être par eux transfigurée ?

Que tous les dons qu'ils ont reçus
Doivent devenir don à leur tour ?

Brûlant mystère du Regard premier !

Demeurer en ton regard,
         calme verger sous la lune.

Terre aux eaux amères
         survécue,
Saison oublieuse des blessures,
Fruits surgis du sang violé
         de la chair meurtrie,
Étoiles d'automne
         cueillies
                  une à une
Rayon fouillant l'ombre bruissante
         où se cache
                  obscure et claire
La source du désir.

Un nuage tout le temps perdu,
Un éclair toute la vie offerte.

Pourquoi donc ce visage ?
Pourquoi cette voix ?
Pourquoi ce singulier
Sans qui pourtant
     la vie ne serait pas.
La vie foisonnante, multipliée,
Vaste tel un été bourdonnant,
Tel un lâcher de colombes
     dans l'azur déchiré,
Mais de loin en loin
     toujours en dehors de soi.

Pourquoi ces mots de fièvre
     murmurés dans la nuit
Qui seuls font battre le cœur
     et remuent le sang ?
Pourquoi sur les écumes du temps
La vie foisonnante, multipliée
Qu'un seul regard retient,
Regard en qui cette vie se re-trouve
     se re-connaît,
Et s'offre enfin
     en don total.

D'une main l'autre
Le secret confié
    demeure secret
À l'instar
    de l'ombre transparente
    ou de l'opaque clarté
Qui s'attarde, irisée,
Entre
La carafe remplie de vin
Et le bol
    au cœur vide.

Offrande à l'inattendu
    à l'inespéré
Que perpétuent
    jour après jour
Deux mains jointes.

Aux imminentes nues traversant le ciel
S'offre le jardin longtemps à l'abandon.
Pressées par d'odorantes herbes sauvages,
Les pivoines intensifient leur fragrance.

L'été bourdonne. De son esquif gris-bleu
L'orage fait signe. Les cœurs humains, eux,
Délivrent les lents murmures du toucher,
À l'ombre mouvante de l'éclat charnel…

Par-delà les murets, soudain parvient
Le chant d'une grive, rappelant aux âmes
Unies leur rêve immémorial, ici
Réalisé dans l'éclair de l'instant.

Aux imminentes nues, devançant l'averse,
Répond le flot de larmes reconnaissantes
Envers le miracle de la chair accordée,
Pétales ivres de chute, filantes étoiles.

Ici, à l'ombre, nous avons murmuré
Des choses, et puis tout d'un coup
Nous nous sommes tus,
De crainte qu'à trop toucher
Le secret nos mots ne deviennent cendres.
Une coupe d'encens couvant l'attente
Nous protège du dehors, là,
Près de la fenêtre entrouverte,
L'éclatante pivoine, ivre
De son rêve de rondeur, de parfum,
S'ouvre sans frein au soleil,
Fontaine de pétales jaillie du fond
Aux laves irrévélées, pure flamme
En son interminable délire,
En son irrépressible, inépuisable
    vouloir-dire.

Vert d'émeraude,
Tu nous tires vers la transparence,
Vers l'éclat d'une haute enfance
Éclaboussée de vagues marines…
Ô île de la soif
Aux fougères domptées par la brise,
Nous resterons fidèles à tes dons,
Car nous n'oublions pas la sente secrète
Menant aux primes fourrés, aux ultimes
Rosées, aux fraises sauvages
Qui tout à trac s'offrent à nous :

Yeux mi-clos, lèvres ouvertes,
Chavirants comme la mer.

Soudain nous viennent des flots
De larmes, nous plongeant dans
L'abîme du silence, larmes
De peine, larmes de joie,
Gouttes de pluie qui glissent
Leurs perles sur les feuilles
De lotus, que vient sécher
Un inattendu rayon
De soleil, déjà ardent,
Déjà irradiant, déjà nimbé
De poignante douceur, hors
De toutes voix, hors
De toutes voies, dans
L'innocence de l'instant,
Dans l'abîme de la désormais
Insondable souvenance.

Mais au-delà du corps à profaner
N'y a-t-il pas encore
Le nom à proférer ?
Alors, à tire-d'aile,
À tue-tête,
Le plus criant des envols,
Vers la toujours plus lointaine,
La déjà inaccessible

Léda !

Quand la beauté t'habite,
Comment l'assumes-tu ?
L'arbre assume le printemps
Et la mer le couchant,
Toi, comment tu assumes
La beauté qui te hante ?

Toi qu'habite la beauté,
Tu aspires à une autre
Plus vaste que le printemps,
Plus vive que le couchant,
– déchirante, déchirée –
Qui pourrait t'assumer

Hormis l'éternel Désirant ?

D'ici là
D'un instant l'autre
L'inattendu adviendra
Quand le divin habitera l'intervalle.
Du dire à l'ouï-dire,
Du don à l'abandon,
Tout le souffle du printemps
Qu'un trait d'éclair retrace.
Les anciens rêves éclatant en bourgeons,
Soif et ivresse demeurent intactes ;
Dans le rythme primordial retrouvé,
Source sera nuage et nuage averse.
D'ici là
D'un instant l'autre
Nous nous rejoindrons,
Chacun en avant de soi
S'étend de ce qu'il ouvre,
S'accroît de ce qu'il donne,
Toute fêlure offrande,
Toute en-tente
                    ex-tase.

Instant du don,
Quand, pour la première fois,
Ange, tu pénétras l'espace de l'attente,
À jamais porteuse de rêves,
À jamais porteuse d'élans,
Jet de lumière foudroyant
Le cœur du guetteur terrestre,
Y creusant une béance
Que seul comblerait un jour
L'inespéré.

Don de l'instant,
Quand, au bout du temps vécu,
Après mille perditions, te voilà
Revenue dans l'infini du soir,
Chevelure auréolée d'étoiles,
D'un seul mot aimantant tout,
Tu annonces au guetteur éveillé
Le dès l'origine promis,
Le depuis toujours déjà là
Avènement.

Puisque le miracle a lieu,
Présence à présence révélée,
Présence de présence pénétrée,
Épiphanie désormais,
Nulle saison en pure perte,
Nulle terre vaine,

À ciel ouvert, au centre
De la rencontre des soleils
Et des rosées terrestres,
La rose thé tant de fois meurtrie
Se sait jusqu'à la racine
Pour qui pour quoi désormais

Re-fleurir.

Rue de Chanaleilles

N'oublions pas ces heures d'ardent échange
Dans la demeure que les encens éclairent.
L'été terrestre résonne de chants d'oiseaux ;
L'après-midi fait éclore âmes et corps.

Les murmures féminins égrènent leurs ors,
La voix d'homme se découvre cris de louange.
Au bout de toutes sentes de l'élan charnel,
Braises et cendres se muent en pur instant.

Dans la demeure que les encens éclairent,
L'été terrestre résonne d'échos des anges.
L'éternité scintille de mille étoiles,
Et la gloire humaine
                         d'un collier de perles.

Entre les cyprès haut dressés,
Lune d'automne !

Lointain miroir, pourtant si proche,
– par qui tendu ? – réfractant
L'éclat originel, où l'âme
Humaine s'éblouit, s'exalte,
Se consume en pure extase.

Cœur ardent, néanmoins apaisant,
Rassemblant en cet instant
Tous les cœurs en émoi, séparés
Par l'espace, comme par le temps ;
Tous les cœurs aimants qui se souviennent
Et renouvellent d'ici, en chœur,
Leur serment d'éternité.

La terre témoin retient alors son souffle.
Les lauriers-roses rompent à peine
Le silence ; les crapauds, eux, sont
Tout ouïe. Seule gronde là-bas
L'immense marée qui monte.

L'âme parle

Je me tenais dans l'ombre, je lisais
Une missive à la lueur du jour
Sans savoir
Que j'étais tienne.

Peut-être étais-je dans l'attente,
Peut-être n'attendais-je plus rien,
Sans savoir
Que j'étais tienne.

Je m'oubliais entre fuites et besognes,
Le long des mois, le long des années,
Sans savoir
Que j'étais tienne.

Je marche dans le soir, subitement,
Je dis ton nom, te voyant, seul, là,
Et je sais
Que la voie tienne

Est mienne.

Âme sœur,
Entends-tu ce qui
Vient de l'heure, ce qui
Vient du cœur, à l'heure
De l'abandon, à l'heure
Du crève-cœur,
Ce battement depuis
La naissance, déchirant
Les entrailles maternelles,
Déchirant l'écorce
Terrestre, ce battement
Qui cherche à se dire,
Qui cherche à se faire
Entendre, entends-tu
Âme sœur,
Ce cri d'avant-vie, plein
D'une étrange nostalgie,
De ce qui avait été
Rêvé, et comme à jamais
Vécu, matin de brume
D'un fleuve, nuage

Se découvrant feuillage ;
Midi de feu d'un pré, pierre
Se dévoilant pivoine ; toute
La terre embrasée, tout
Le ciel étoilé,
En une seule promesse,
En une seule invite :
Ne rate pas le divin,
Ne rate pas le destin !
Entends-tu ce qui
Vient de la flamme
Du corps, de la flamme
Du cœur, à l'heure
De l'abandon, à l'heure
Du crève-cœur, ce cri
Surgit un jour, à ton
Insu, en ton plus profond,
Le transparent, le transportant
Le transfigurant, seul cri
Répondant à l'âme en attente,
Âme sœur.

L'âme charnelle est d'une autre chair.

Haute flamme par-dessus les sarments,
Pure extase née de l'unique nectar,
Nuage, plus que le vol d'aigle, éthéré,
Lune, plus que les marées, caressante,
Rêve d'enfant pourchassant l'étoile filante,
Cri d'appel rejoignant le souffle originel.
D'une tout autre chair l'âme charnelle.

Lorsque l'âme se fait entendre,
Cette voix murmurante, ponctuante,
Qui est source de tout chant,
Basse continue ne connaissant
Ni borne ni arrêt,
L'espace est vaincu et le temps aboli.

Mais l'âme ne se fait entendre
Qu'en résonance avec une âme autre,
Lèvre à lèvre,
Cœur à cœur,

Deux voies mêlées, reliantes, ruisselantes,
Joignant soudain les feuilles
Jonchant le sol
Aux nuages nimbant les cimes.

Lorsque enfin les âmes se font chant,
Par-dessus l'abîme des jours,
Une étincelle suffit pour rallumer
Toute flamme immémoriale :

Du fond du désir originel
Émerge alors le souffle rythmique,
Strate sur strate,
Bord à bord,
Le voilà qui recommence
L'éternité – instant.

Les marées printanières, toutes frayeurs
Et toutes douleurs ravalées,
Renouvellent le séjour
Des êtres en errance.

Rien de ce qui a été vécu n'était
Oublié, rien de ce qui a ému n'était
Perdu, ni le vieux mur qu'éblouissait
Le couchant, ni les champs en friche
Éclaboussés d'azalées sauvages…
Tout se révèle don, tout
Se transmue en offrande,

Lorsque enfin les âmes se font chant.

Souffle rythmique, moutonnement de collines,
Flux et reflux de marées, vol de goélands,
Corps qui s'accordent âmes qui se réclament,
                                     silence
Au bout du chant, mais par-delà silence,   chant !

Avènement du divin, quand l'infini
Fait irruption. Quand au plus égaré
De la forêt se découvre la clairière…
Ici donc, ô instant ! Vois : tout s'attire,
Tout converge, tout, d'un coup, rejoint tout.
Fracassante advenance ! Le perdu au loin
Soudain proche, et familier l'inconnu :
Rêve et vécu d'une seule venue, braise
Et cendre d'un seul tenant, pleine lune
Jumelle de la lanterne de cette nuit,
Voie lactée obscur sentier reparcouru.
Senteur de seringa suffocante de douceur,
Saveur de framboise d'un solstice sans fin…
Ici donc, ô instant ! Un seul cri
D'effraie suffit pour que s'éveillent
Tous les cris étouffés. Nous nous étions
Dit de telles choses, t'en souviens-tu
Seulement ? Par-delà toute mémoire,
À cet immuable émoi, toi la confidente,
Toi la répondante, sauras-tu encore et encore
Prêter l'oreille ? À l'heure de la résonance,

Toi l'impatiente, toi l'oublieuse, gardes-tu
Encore assez de gratitude en toi
Pour re-connaître l'avènement du divin,
    Quand l'infini fait irruption ?

J'erre sans attache sur la Voie,
En plein cœur de la lente chute
      des feuilles et des étoiles ;
Au lointain appel d'une voix,
Je me retourne et je vois
      le visage et le regard.

L'automne mûr détient encore
Tout l'or secret du royaume,
      par-delà flammes et larmes ;
Du fond de la frondaison,
Un chant trace la sente qui mène
      à l'inapaisable fontaine.

Te nommer
Dans l'éclat des regards croisés,
N'est-ce déjà te connaître,
N'est-ce déjà te re-connaître
Dans l'abîme de l'innombrable
        et de l'inespéré ?

Te nommer
N'est-ce déjà résumer
Ton chemin, tes désirs,
Au travers des frimas, des frayeurs,
Parmi tant d'aubes trompeuses
        et de sentes égarées ?

N'est-ce déjà remonter
Jusqu'au premier cri,
Lorsque, sans réserve,
La vie t'a accueillie,
Lorsque, venant de plus loin
Que le ciel étoilé,
Que la terre fleurie,

Un appel fut lancé
À un nom prédestiné,
Nom parmi les noms
　　auquel tu as répondu oui ?

Au creux de l'heure,
Quand cesse le vent,
Quand se taisent
Les oiseaux, plus rien
Que la lueur du jour,
Que les choses muettes
Avec leurs ombres
Et leurs maux.

Sans savoir pourquoi
Je dis soudain toi,
Devinant sans doute
Que tu es là,
Infiniment présent,
Infiniment pressant,
Indéfiniment
En attente,

Au creux de l'heure,
Au creux des mots.

Éteindre en nous ce feu
Qui mord, qui dévore ?
Mais que faire d'autre
Sinon rallumer
Un feu autrement
Plus puissant, plus libre,
Charnel-aérien,
À l'image de
La flamme initiale,
Ne trahissant rien,
Ne réduisant rien,
Mais transformant tout
En veillée
     nuptiale.

Vers Emmaüs

Nous marchons sur la route de la mort,
Sans un instant soupçonner
Que chemine à côté de nous
La Vie qui s'est levée
        d'entre les morts.

Nous marchons vers la désolation,
Sans un instant soupçonner
Que juste à côté de nous la Vie
Bascule une fois pour toutes
        dans l'in-fini.

Voici le soir. L'auberge est ouverte
Et la table mise. Pain rompu,
Regard échangé, éclat de la Voie…
Et tout le reste en nous
        expire d'un coup.

Je me lèverai et j'irai vers toi,
Traversant les nuits d'insomnie, franchissant
La ligne incandescente des étoiles.
Je sais que tu es loin,
Mais que par toi
      tout sera retrouvé.

Je me lèverai et j'irai vers toi,
Enjambant l'abîme d'un pas résolu, ignorant
Toutes distances qui séparent.
Je sais que tu es proche,
Que je dois te chercher
      au plus intime de moi.

J'irai vers toi, sûr de te retrouver,
Car je n'oublie point une scène de jadis :
Après une longue fugue, je suis revenu au logis,
L'ombre maternelle s'est retournée, a dit :
« Te voilà ! », j'ai répondu : « Me voici ! »,
      et j'ai fondu en larmes.

François Cheng est né en Chine, à Nanchang, en 1929. Issu d'une famille de lettrés, il entreprend d'abord des études universitaires à Nankin, puis gagne, en 1949, la France où il s'installe définitivement. Après des études à la Sorbonne et à l'École pratique des Hautes Études, il choisit à son tour l'enseignement et occupe bientôt une chaire de professeur à l'Institut national des langues et civilisations orientales.

Il publie, à Taïwan et à Hong-Kong, ses premiers poèmes en chinois au cours des années 1960, traduit également nombre de poètes français depuis Victor Hugo jusqu'à René Char et Henri Michaux. En 1977 paraît son premier livre en français et, désormais, il n'écrit plus que dans sa langue d'adoption.

Son œuvre d'essayiste, de traducteur, de calligraphe, de romancier et de poète est désormais traduite dans de nombreux pays. Elle apparaît comme l'aboutissement d'un double itinéraire intérieur qui entend assumer son passé et la meilleure partie de sa culture d'origine, tout en s'initiant, à travers l'expérience de l'exil, à la meilleure part de la culture occidentale. Itinéraire à la fois douloureux et exaltant, vécu, avec une acuité extrême et bienveillante, dans une tension de tous les instants, chaque jour orientée davantage vers l'unité qui ne saurait être identifiée qu'à l'Ouvert.

François Cheng a obtenu le Grand Prix de la francophonie en 2001 et a été élu à l'Académie française en juin 2002.

Recueils de poésie

DE L'ARBRE ET DU ROCHER, Fata Morgana, 1989.

SAISONS À VIE, Encre marine, 1993.

36 POÈMES D'AMOUR, Unes, 1997.

QUAND LES PIERRES FONT SIGNE, Voix d'encre, 1997.

DOUBLE CHANT, Encre marine, prix Roger-Caillois 1998, rééd. 2002.

CANTOS TOSCANS, Unes, 1999.

POÉSIE CHINOISE, Albin Michel, 2000.

QUI DIRA NOTRE NUIT, Arfuyen, 2001, nouvelle éd. 2003.

LE LONG D'UN AMOUR, Arfuyen, 2003.

LE LIVRE DU VIDE MÉDIAN, Albin Michel, 2004, « Espaces libres », 2009.

QUE NOS INSTANTS SOIENT ACCUEIL, illustrations de Francis Herth, Les Amis du livre contemporain, 2005.

QUAND LES ÂMES SE FONT CHANT. Avec Kim En Joong, Bayard, 2014.

Romans

LE DIT DE TIANYI, Albin Michel, prix Femina, 1998, Livre de Poche, 2007.

L'ÉTERNITÉ N'EST PAS DE TROP, Albin Michel, 2002, Livre de Poche, 2008.

QUAND REVIENNENT LES ÂMES ERRANTES, Albin Michel, 2012, Livre de Poche, 2014.

Essais et traductions

L'ÉCRITURE POÉTIQUE CHINOISE, Seuil, 1977, « Points Essais », 1996.

VIDE ET PLEIN, LE LANGAGE PICTURAL CHINOIS, Seuil, 1979, « Points Essais », 1991.

SOUFFLE-ESPRIT, Seuil, 1989, « Points Essais », 2006.

ENTRE SOURCE ET NUAGE, LA POÉSIE CHINOISE RÉINVENTÉE, Albin Michel, 1990, « Spiritualités vivantes », 2005.

LE DIALOGUE, UNE PASSION POUR LA LANGUE FRANÇAISE, Desclée de Brouwer, 2002.

CINQ MÉDITATIONS SUR LA BEAUTÉ, Albin Michel, 2006, Livre de Poche, 2010.

L'UN VERS L'AUTRE : EN VOYAGE AVEC VICTOR SEGALEN, Albin Michel, 2008.

LA JOIE : EN ÉCHO À UNE ŒUVRE DE KIM EN JOONG, Cerf, 2011.

ŒIL OUVERT ET CŒUR BATTANT : COMMENT ENVISAGER ET DÉVISAGER LA BEAUTÉ, Desclée de Brouwer, 2011.

CINQ MÉDITATIONS SUR LA MORT. AUTREMENT DIT SUR LA VIE, Albin Michel, 2013.

ASSISE. UNE RENCONTRE INATTENDUE, Albin Michel, 2014.

ENTRETIENS AVEC FRANÇOISE SIRI, suivi de douze poèmes inédits, Albin Michel, 2015.

DE L'ÂME, Albin Michel, 2016.

Livres d'art, monographies

L'ESPACE DU RÊVE, MILLE ANS DE PEINTURE CHINOISE, Phébus, 1980.

CHU TA, LE GÉNIE DU TRAIT, Phébus, 1986, nouvelle éd. 1999.

ÉCHOS DU SILENCE. PAYSAGE DU QUÉBEC EN MARS. Avec des photographies de Patrick Le Bescont, Filigranes, 1988.

SHITAO, LA SAVEUR DU MONDE, Phébus, prix André Malraux, 1998.

D'OÙ JAILLIT LE CHANT, Phébus, 2000.

ET LE SOUFFLE DEVIENT SIGNE, Iconoclaste, 2001, nouvelle éd. 2014.

TOUTE BEAUTÉ EST SINGULIÈRE, Phébus, 2004.

PÈLERINAGE AU LOUVRE, Flammarion – Musée du Louvre, 2008.

VRAIE LUMIÈRE NÉE DE VRAIE NUIT, avec des illustrations de Kim En Joong, Cerf, 2009.

I. PAR ICI NOUS PASSONS   7

II. LUMIÈRES DE NUIT   107

III. PASSION   143

Bio-bibliographie   179

DERNIÈRES PARUTIONS

456. Pascal Quignard   *Lycophron et Zétès*.
457. Kiki Dimoula   *Le Peu du monde* suivi de *Je te salue Jamais*.
458. Marina Tsvétaïéva   *Insomnie* et autres poèmes.
459. Franck Venaille   *La Descente de l'Escaut* suivi de *Tragique*.
460. Bernard Manciet   *L'Enterrement à Sabres*.
461. ***   *Quelqu'un plus tard se souviendra de nous*.
462. Herberto Helder   *Le poème continu*.
463. Francisco de Quevedo   *Les Furies et les Peines*. 102 sonnets.
464. ***   *Les Poètes de la Méditerranée*.
465. René Char & Zao Wou-Ki   *Effilage du sac de jute*.
466. ***   *Poètes en partance*.
467. Sylvia Plath   *Ariel*.
468. André du Bouchet   *Ici en deux*.
469. L.G Damas   *Black-Label* et autres poèmes.
470. Philippe Jaccottet   *L'encre serait de l'ombre*.
471. ***   *Mon beau navire ô ma mémoire* Un siècle de poésie française. Gallimard 1911-2011.

472. ***   *Éros émerveillé.*
     Anthologie de la poésie érotique
     française.

473. William Cliff   *America* suivi de *En Orient.*
474. Rafael Alberti   *Marin à terre* suivi de *L'Amante*
     et de *L'Aube de la giroflée.*

475. ***   *Il pleut des étoiles dans notre lit.*
     Cinq poètes du Grand Nord

476. Pier Paolo Pasolini   *Sonnets.*
477. Thomas Hardy   *Poèmes du Wessex*
     et autres poèmes.

478. Michel Deguy   *Comme si Comme ça.*
     Poèmes 1980-2007.

479. Kabîr   *La Flûte de l'Infini.*
480. Dante Alighieri   *La Comédie.*
     Enfer – Purgatoire – Paradis.

481. William Blake   *Le Mariage du Ciel et de l'Enfer*
     et autres poèmes.

482. Paul Verlaine   *Cellulairement* suivi de *Mes Prisons.*
483. ***   *Poèmes à dire.* Une anthologie de
     poésie contemporaine francophone.

484. ***   *Je voudrais tant que tu te souviennes.*
     Poèmes mis en chansons
     de Rutebeuf à Boris Vian.

485. Pablo Neruda   *Vaguedivague.*
486. Robert Desnos   *Contrée* suivi de *Calixto.*
487. Arun Kolatkar   *Kala Ghoda.* Poèmes de Bombay.
488. Paul de Roux   *Entrevoir* suivi de *Le front contre
     la vitre* et de *La halte obscure.*

489. Guy Goffette   *Un manteau de fortune* suivi de
     L'adieu aux lisières et
     de *Tombeau du Capricorne.*

490. Yves Bonnefoy   *L'Heure présente* et autres textes.
491. Juan Gelman   *Vers le sud* et autres poèmes.
492. Michel Leiris   *Glossaire j'y serre mes gloses* suivi
     de *Bagatelles végétales.*

493. Michel Houellebecq   *Non réconcilié.*
     Anthologie personnelle 1991-2013

494. Henri Michaux   *À distance* suivi de *Annonciation.*
495. Henri Michaux   *Moments.* Traversées du temps.

496. Roger Gilbert-Lecomte — *La Vie l'Amour la Mort le Vide et le Vent* et autres textes.

497. Philippe Jaccottet — *L'entretien des muses*. Chroniques de poésie.

498. Philippe Jaccottet — *Une transaction secrète*. Lectures de poésie.

499. Ingeborg Bachmann — *Toute personne qui tombe a des ailes*. Poèmes 1942-1967.

500. Yves Bonnefoy — *Les planches courbes* précédé de *Ce qui fut sans lumière* et de *La Vie errante*.

501. Ted Hughes — *Birthday Letters*.

502. Luís de Camões — *Les Lusiades*.

503. Xavier Bordes — *La Pierre Amour*.

504. Alain Duault — *Où vont nos nuits perdues* et autres poèmes.

505. Richard Rognet — *Élégies pour le temps de vivre* suivi de *Dans les méandres des saisons*.

506. Anise Koltz — *Somnambule du jour*. Poèmes choisis.

507. Zéno Bianu — *Infiniment proche* et *Le désespoir n'existe pas*.

508. Jacques Darras — *L'indiscipline de l'eau*. Anthologie personnelle 1988-2012.

509. Jean-Pierre Lemaire — *Le pays derrière les larmes*. Poèmes choisis.

510. James Sacré — *Figures qui bougent un peu* et autres poèmes.

511. Abdellatif Laâbi — *L'Arbre à poèmes*. Anthologie personnelle 1992-2012.

512. Olivier Barbarant — *Odes dérisoires* et autres poèmes.

513. Emmanuel Hocquard — *Les Élégies*.

514. Vénus Khoury-Ghata — *Les mots étaient des loups*. Poèmes choisis.

515. Luis de Góngora — *Fable de Polyphème et Galatée*.

516. Jacques Roubaud — *Je suis un crabe ponctuel*. Anthologie personnelle 1967-2014.

517. Percy Bysshe Shelley — *La révolte de l'Islam*.

518. Charles Vildrac — *Chants du désespéré*.